Pour Muriel

© 2015, *l'école des loisirs*, Paris

Loi 49956 du 16 juillet 1949,
sur les publications destinées à la jeunesse.
Dépôt légal : septembre 2015
ISBN 978-2-211-22280-8

Mise en pages : *Architexte*, Bruxelles
Photogravure : *Media Process*, Bruxelles
Imprimé en Belgique par *Daneels*

Émile Jadoul

Gros boudeur

Pastel
l'école des loisirs

Ce matin, Léon fait du boudin !

Salut Léon! dit Manu.
Ça va pas?

Tu as une drôle de tête.
Tu as froid?

Tiens, je te prête mon chapeau.
Oups ! Il est un peu petit pour toi,
dit Manu.

Léon a mis le tout petit chapeau.
Mais il fait toujours du boudin.

Qu'est-ce qu'il a, Léon ?
demande Simon.

Il fait du boudin !
répond Manu.

Tu es peut-être malade ?
dit Simon.
Tiens, prends mon écharpe.
Tu es rigolo, comme ça !

Mais Léon n'a pas du tout
envie de rire.

Coucou les gars ! dit Léa.
Oh ben Léon,
c'est quoi cette tête à l'envers ?

Tu as faim, peut-être ?
Tiens, je t'offre mon goûter.

Léon boude de plus en plus.

T'es pas drôle, Léon !
disent les trois amis.

Soudain, Maman Pingouin
passe par là.
Simon, Manu et Léa regardent
le ventre de Maman Pingouin.

Ils sourient.

Tu en as de la chance, Léon.
Tu vas être un grand frère !
s'exclament les trois amis.

Oh, qu'est-ce qu'il a,
mon grand pingouin ?
demande Maman Pingouin.

Il a froid, dit Simon.
Et faim, ajoute Léa.

Euh, je pense qu'il fait du boudin,
chuchote Manu.

Léon regarde sa maman.

Je fais pas du boudin !
dit Léon. Je veux pas
être un grand frère ! **Na !**

Je veux être ton petit pingouin.
Pour toujours !

Maman Pingouin
prend tendrement
Léon dans ses bras.

Mais toi, mon Léon,
tu seras toujours
mon premier
petit pingouin.

Léon sourit doucement.
Il est le premier petit pingouin
de sa maman, **pour toujours!**

Et, bientôt, le premier grand frère
de Bébé Pingouin.